# Une douce nuit de Noël chez
## LES MONSIEUR MADAME

**MONSIEUR    MADAME**

# Une douce nuit de Noël chez LES MONSIEUR MADAME

*Roger Hargreaves*

Écrit et illustré par Adam Hargreaves

hachette
JEUNESSE

Monsieur Silence était une personne très sensible.

Le moindre bruit le rendait vraiment nerveux.

Mais malheureusement pour lui, il habitait
en Bruitagne, le pays du bruit !

Et à Noël, la Bruitagne était un endroit
particulièrement bruyant.

Si bien que, comme tu peux l'imaginer,
monsieur Silence, contrairement à toi et moi,
redoutait Noël !

Pauvre monsieur Silence !

La période de Noël était aussi celle des cartes de vœux,
livrées par monsieur Timbre, le facteur très bruyant.

Quand il venait pour livrer le courrier, chacun
de ses pas faisait un bruit infernal !

BOUM ! BOUM ! BOUM ! faisait-il en arrivant.

VLAM ! faisait la lettre en glissant dans la boîte aux lettres.

BOUM ! BOUM ! BOUM ! faisait le facteur en repartant.

C'était comme ça tous les matins et ça durait
des semaines !

Tous les habitants de la Bruitagne se saluaient bruyamment dans la rue.

– Joyeux Noël !

– Joyeux Noël à vous aussi !

– Et bonne année !

Ils criaient si fort que l'on se serait cru à un match de football.

Il y avait aussi la chorale de Noël.

En Bruitagne, la chorale ne chante pas… elle hurle !
Aussi fort que possible !

Pauvre monsieur Silence ! Il avait beau éteindre
la lumière et se cacher derrière son canapé
pour faire croire qu'il était absent, il entendait
toujours les chanteurs !

Et pour couronner le tout, comme chaque année, monsieur Bruit venait passer ses vacances chez monsieur Silence.

Il habitait un endroit où les gens n'aimaient pas le bruit. Alors tu comprends, c'est pour cela qu'il adorait venir quelques jours en Bruitagne au moment des fêtes. Il pouvait ainsi être aussi bruyant qu'il le voulait, c'est-à-dire, vraiment très bruyant comme tu peux l'imaginer !

Le matin de Noël, monsieur Bruit allumait la radio, poussait le son à fond et se mettait à hurler lui aussi des chants de Noël.

Le son était si fort que sa tasse de thé tremblait dans la soucoupe.

On pouvait entendre monsieur Bruit à des kilomètres à la ronde.

Puis il y avait le déjeuner de Noël, avec les pétards !

PAN ! PAN !

Comme des tirs de canon !

Et comme d'habitude, monsieur Bruit mangeait la bouche ouverte.

SCRONTCH ! SCRONTCH ! SCRONTCH !

SLURP la dinde !

SLURP la bûche !

Quel glouton !

Monsieur Bruit n'était même pas capable d'ouvrir ses cadeaux en silence.

CRACK ! CRACK ! CRACK ! faisait le papier à chaque fois qu'il déballait un paquet.

Pauvre monsieur Silence !

Mais, à Noël dernier, il se passa quelque chose
de différent... quelque chose de magique.

Il se mit à neiger !

Tout le monde aime la neige, mais cette année-là,
il neigea et neigea et neigea tellement que le paysage
fut entièrement enseveli.

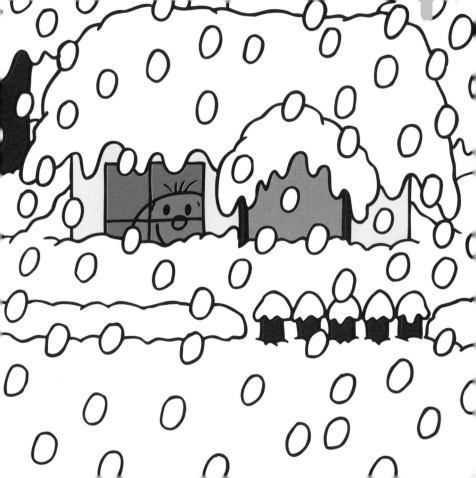

Ce temps mit la pagaille partout en Bruitagne,
sauf chez monsieur Silence.

Pour lui au contraire, les choses s'arrangèrent
drôlement, pour une fois !

Monsieur Timbre se retrouva coincé au bureau
de poste et fut donc incapable de livrer le courrier…
bruyamment.

Les rues furent désertes. Tous les habitants étaient bloqués chez eux.

Pas de chorale non plus. Les chanteurs s'étaient enfoncés dans la neige jusqu'à la taille.

Mais le meilleur arriva quand le téléphone sonna, et que monsieur Bruit annonça à monsieur Silence qu'il ne pourrait pas venir lui rendre visite.

Si bien que monsieur Silence passa enfin des fêtes de Noël très silencieuses.

Sans radio à fond.

Sans pétards.

Sans bruits de bouche à table.

Sans paquets cadeaux déchirés.

La seule chose que monsieur Silence put entendre très faiblement fut une petite chanson.

Le son était à peine perceptible.

C'était justement le genre de chanson qu'aimait monsieur Silence.

Et devine qui chantait ?

Monsieur Bruit !

Rappelle-toi, on pouvait l'entendre à des kilomètres à la ronde.

Et que chantait-il ?

Devine encore.

Il chantait… *Douce nuit !*

La chanson de Noël préférée de monsieur Silence !

# RÉUNIS VITE LA COLLECTION ENTIÈRE

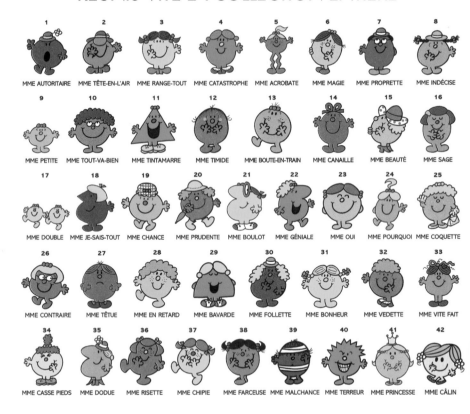

1 MME AUTORITAIRE
2 MME TÊTE-EN-L'AIR
3 MME RANGE-TOUT
4 MME CATASTROPHE
5 MME ACROBATE
6 MME MAGIE
7 MME PROPRETTE
8 MME INDÉCISE

9 MME PETITE
10 MME TOUT-VA-BIEN
11 MME TINTAMARRE
12 MME TIMIDE
13 MME BOUTE-EN-TRAIN
14 MME CANAILLE
15 MME BEAUTÉ
16 MME SAGE

17 MME DOUBLE
18 MME JE-SAIS-TOUT
19 MME CHANCE
20 MME PRUDENTE
21 MME BOULOT
22 MME GÉNIALE
23 MME OUI
24 MME POURQUOI
25 MME COQUETTE

26 MME CONTRAIRE
27 MME TÊTUE
28 MME EN RETARD
29 MME BAVARDE
30 MME FOLLETTE
31 MME BONHEUR
32 MME VEDETTE
33 MME VITE FAIT

34 MME CASSE PIEDS
35 MME DODUE
36 MME RISETTE
37 MME CHIPIE
38 MME FARCEUSE
39 MME MALCHANCE
40 MME TERREUR
41 MME PRINCESSE
42 MME CÂLIN

# DES **MONSIEUR MADAME**

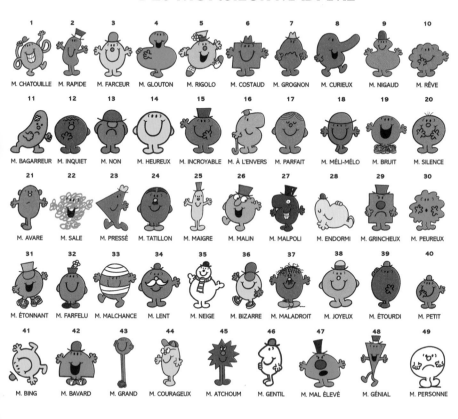

1 M. CHATOUILLE
2 M. RAPIDE
3 M. FARCEUR
4 M. GLOUTON
5 M. RIGOLO
6 M. COSTAUD
7 M. GROGNON
8 M. CURIEUX
9 M. NIGAUD
10 M. RÊVE

11 M. BAGARREUR
12 M. INQUIET
13 M. NON
14 M. HEUREUX
15 M. INCROYABLE
16 M. À L'ENVERS
17 M. PARFAIT
18 M. MÉLI-MÉLO
19 M. BRUIT
20 M. SILENCE

21 M. AVARE
22 M. SALE
23 M. PRESSÉ
24 M. TATILLON
25 M. MAIGRE
26 M. MALIN
27 M. MALPOLI
28 M. ENDORMI
29 M. GRINCHEUX
30 M. PEUREUX

31 M. ÉTONNANT
32 M. FARFELU
33 M. MALCHANCE
34 M. LENT
35 M. NEIGE
36 M. BIZARRE
37 M. MALADROIT
38 M. JOYEUX
39 M. ÉTOURDI
40 M. PETIT

41 M. BING
42 M. BAVARD
43 M. GRAND
44 M. COURAGEUX
45 M. ATCHOUM
46 M. GENTIL
47 M. MAL ÉLEVÉ
48 M. GÉNIAL
49 M. PERSONNE

Retrouve tous tes héros sur
**www.hachette-jeunesse.com**

Traduction : Anne Marchand Kalicky.

Édité par Hachette Livre, 58 rue Jean Bleuzen 92178 Vanves Cedex.
Dépôt légal : octobre 2015.
Loi n°49-956 du 16 juillet 1949 sur les publications destinées à la jeunesse.
Achevé d'imprimer par Canale en Roumanie.